À tous les membres de la famille

L'apprentissage de la lecture est l'une des réalisations les plus importantes de la petite enfance. La collection *Je peux lire!* est conçue pour aider les enfants à devenir des lecteurs experts qui aiment lire. Les jeunes lecteurs apprennent à lire en se souvenant de mots utilisés fréquemment comme « le », « est » et « et », en utilisant les techniques phoniques pour décoder de nouveaux mots et en interprétant les indices des illustrations et du texte. Ces livres offrent des histoires que les enfants aiment et la structure dont ils ont besoin pour lire couramment et sans aide. Voici des suggestions pour aider votre enfant avant, pendant et après la lecture.

Avant

Examinez la couverture et les illustrations, et demandez à votre enfant de prédire de quoi on parle dans le livre.

Lisez l'histoire à votre enfant.

Encouragez votre enfant à dire avec vous les formulations et les mots qui lui sont familiers.

Lisez une ligne et demandez à votre enfant de la relire après vous.

Pendant

Demandez à votre enfant de penser à un mot qu'il ne reconnaît pas tout de suite. Donnez-lui des indices comme : « On va voir si on connaît les sons » et « Est-ce qu'on a déjà lu un mot comme celui-là? ».

Encouragez l'enfant à utiliser ses compétences phoniques pour prononcer d'autres mots.

Lorsque l'enfant a besoin d'aide, lisez-lui le mot qui pose un problème, pour qu'il n'ait pas trop de mal à lire et que l'expérience de la lecture avec les parents soit positive.

Encouragez votre enfant à lire avec expression... comme un comédien!

Après

Proposez à votre enfant de dresser une liste d........ ère.

Encouragez votre enfant à reli......... s frères et sœurs, à ses grands-parent........ tures répétées donnent confiance au........

Parlez des histoires que vous a........

répondez à celles de votre enfa........ les

personnages et des événements........ .... amusants et les plus intéressants.

J'espère que vous et votre enfant allez aimer ce livre.

Francie Alexander,
spécialiste en lecture
Groupe des publications
éducatives de Scholastic

Données de catalogage avant publication
de la Bibliothèque nationale du Canada

Wilhelm, Hans, 1945-
J'adore les couleurs!

(Je peux lire!. Niveau 1)
Traduction de: I love colors!.
Pour enfants.
ISBN 0-439-98688-5

I. Duchesne, Lucie II. Titre III. Collection.

PZ23.W538Jb 2001   j813'.54   C2001-900958-5

ISBN 978-0-439-98688-5 pour l'édition 2001
ISBN 978-1-4431-1142-3 pour l'édition 2011

Copyright © Hans Wilhelm, 2000.
Copyright © Éditions Scholastic, 2001, pour le texte français.
Tous droits réservés.

Il est interdit de reproduire, d'enregistrer ou de diffuser, en tout ou en partie, le présent ouvrage par quelque procédé que ce soit, électronique, mécanique, photographique, sonore, magnétique ou autre, sans avoir obtenu au préalable l'autorisation écrite de l'éditeur. Pour toute information concernant les droits, s'adresser à Scholastic Inc., 557 Broadway, New York, NY 10012, É.U.

Édition publiée par les Éditions Scholastic,
604, rue King Ouest, Toronto (Ontario) M5V 1E1.

6 5 4 3 2   Imprimé au Canada 120   11 12 13 14 15

MIXTE
Papier issu de
sources responsables
FSC
www.fsc.org
FSC® C003958

J'adore les couleurs!

Texte et illustrations de Hans Wilhelm

Texte français de Lucie Duchesne

Je peux lire! — Niveau 1

Éditions
SCHOLASTIC

Voici de la gouache de trois couleurs : **ROUGE**, **JAUNE** et **BLEU**.

Je vais faire une peinture.

Ma queue me servira de pinceau.

Ooooh!

C'est joli!

Je vais en ajouter.

Maintenant, je suis de trois couleurs : **ROUGE**, **ORANGE** et **JAUNE**.

Le **ROUGE** mélangé au **JAUNE** donne de l'**ORANGE**.

Mes pattes sont encore blanches...

Maintenant, elles sont **BLEUES**!

Qu'est-ce qui va arriver
si je trempe mes pattes
JAUNES dans du BLEU ?

Elles deviennent **VERTES** !
Le **JAUNE** mélangé au **BLEU**
donne du **VERT**.

Et maintenant, je trempe ma queue **ROUGE** dans du **BLEU**. Qu'est-ce qui va se passer?

Elle devient **VIOLETTE**!
Le **ROUGE** mélangé au
BLEU donne du **VIOLET**.

Oh oh! La gouache
devient collante et raide!

Attention!

Le chien **ARC-EN-CIEL** arriv

Plouf!!!

Maintenant, je suis redevenu
comme avant.

Mais je devrais peut-être conserver un peu de couleur. Qu'est-ce que tu en penses?